Inhalt

Inhalt

Hallo! Mit diesem Heft kannst du ganz alleine üben. Das geht so:

- Löse die Seiten in beliebiger Reihenfolge und in deinem Tempo.

- Klebe an den dafür vorgesehenen Stellen den Aufkleber mit der passenden Regel ein. Der Klebebogen befindet sich in der Heftmitte.

- Präge dir die Regel ein.

- Überprüfe deine Lösungen nach jeder fertigen Doppelseite. Fahre dazu mit der Lupe über den roten Kasten. Hake deine Lösungen ab oder berichtige sie.

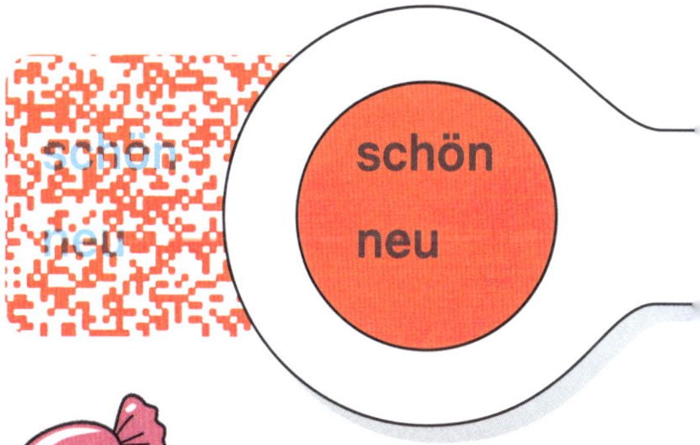

- Das Bonbon für Schnelle: Mit dieser Zusatzaufgabe kannst du dein Wissen spielend leicht erweitern!

Denke dir weitere Gegenteil-Paare aus.

- Schätze deine Leistung selbst ein: Klebe einen Monstersticker an die entsprechende Stelle.

- Hast du das Heft vollständig gelöst, überlege dir, was du noch üben möchtest.

Nun wünsche ich dir monsterhafte Freude und viele neue Erkenntnisse!

Wie ist etwas?

- **Kreuze alle Wörter an, die dir verraten, wie etwas ist.**
- **Schreibe die Adjektive richtig auf.**

	ja	nein	Adjektiv
SCHÖN			
NEU			
HUNGRIG			
STEIN			
ALTMODISCH			
RIESE			
SCHNELL			
SCHNECKE			
VERLETZT			
KURVIG			
STRASSE			
GESCHLOSSEN			

Regel 1

Adjektive:
schön
neu
hungrig
altmodisch
schnell
verletzt
kurvig
geschlossen

	ja	nein	Adjektiv
ÖFFNEN			
DURST			
SICHER			
RISKANT			
STACHELIG			
GEFANGENER			
GEMÜTLICH			
DUNKELHEIT			
ZERDRÜCKT			
SPRINGEN			
VERWANDT			
DUMM			
LÖSEN			

Denke dir zu 3 Adjektiven einen Satz aus. Schreibe ins Heft.

Adjektive:
sicher
riskant
stachelig
gemütlich
zerdrückt
verwandt
dumm

Kann ich super! | *Kann ich gut!* | *Kann ich ein wenig.* | *Muss ich noch üben.*

Klebe den Sticker an die passende Stelle.

6 Farbige Adjektive ins Boot!

- Trenne die Wörter durch Striche voneinander ab.
- Schreibe jedes Adjektiv in ein Schiff und male dieses mit der richtigen Farbe aus.

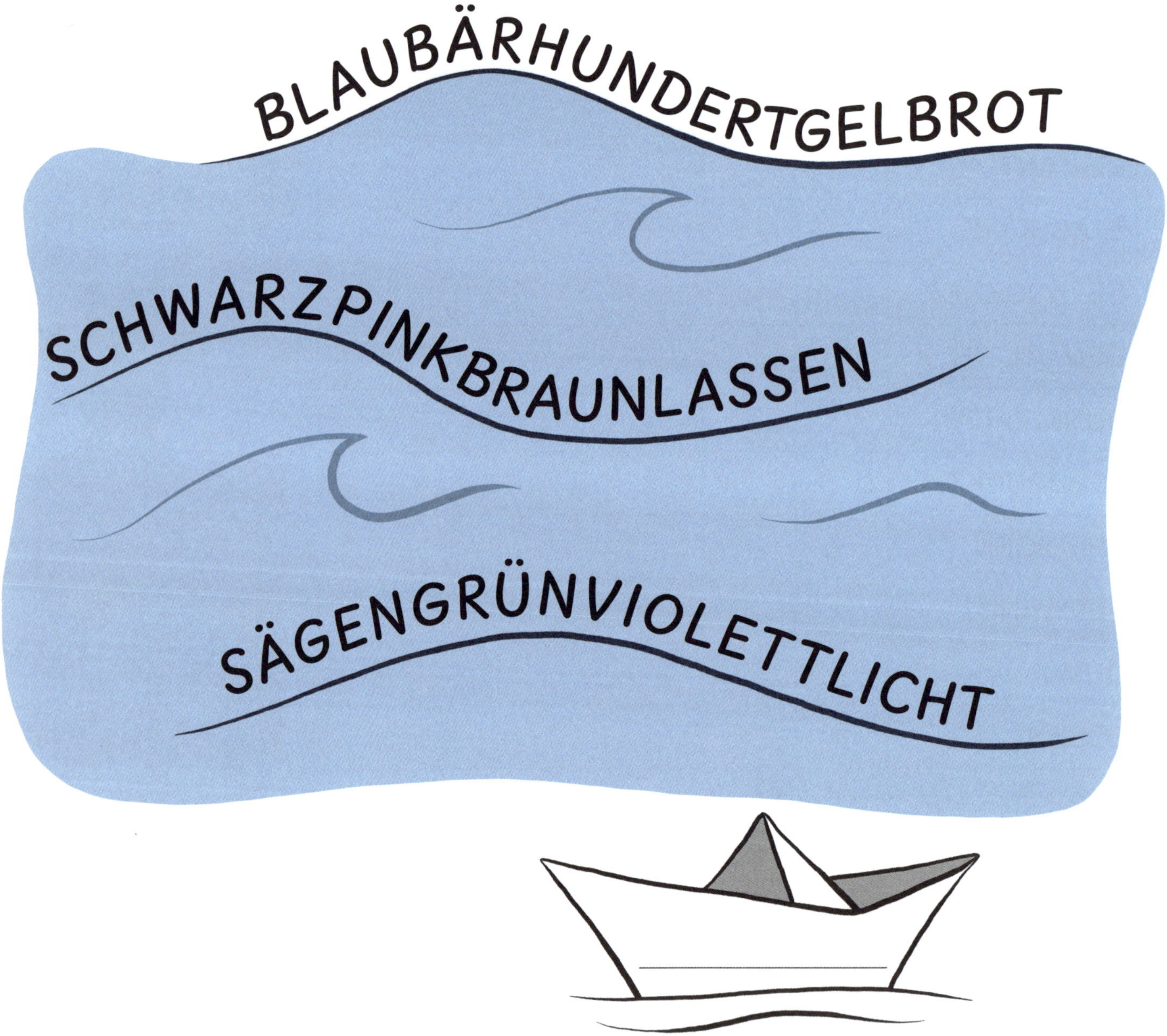

Auch Farben sind Adjektive!
Finde weitere Farb-Adjektive!

Kann ich super!	Kann ich gut!	Kann ich ein wenig.	Muss ich noch üben.

Die Schiffe sind: blau, gelb, rot, schwarz, pink, braun, grün, violett

Wie wird etwas gemacht?

• **Finde heraus, wie die Personen ihre Tätigkeit ausführen.**
Kreuze das richtige Wort an.

◯ schnell
◯ hart
◯ bunt

◯ grimmig
◯ schallend
◯ niedlich

◯ fest
◯ leise
◯ laut

◯ riesig
◯ wütend
◯ gerne

◯ gefährlich
◯ kraftvoll
◯ schwierig

◯ entschlossen
◯ wach
◯ tief

rennen – schnell lachen – schallend flüstern – leise
kochen – gerne ziehen – kraftvoll schlafen – tief

Regel 2

- ◯ schwungvoll
- ◯ klein
- ◯ unfair

- ◯ zielstrebig
- ◯ gemein
- ◯ rund

- ◯ schnell
- ◯ winzig
- ◯ rücksichtslos

- ◯ scheu
- ◯ laut
- ◯ breit

- ◯ ungenau
- ◯ dünn
- ◯ falsch

- ◯ verwelkt
- ◯ richtig
- ◯ breit

- ◯ niedlich
- ◯ kraftvoll
- ◯ zahm

- ◯ professionell
- ◯ teuer
- ◯ spitz

- ◯ dunkel
- ◯ stark
- ◯ heimlich

Kann ich super!

Kann ich gut!

Kann ich ein wenig.

Muss ich noch üben.

streiten – unfair
telefonieren – laut
werfen – kraftvoll
einkaufen – zielstrebig
waschen – falsch
tanzen – professionell
spielen – rücksichtslos
wässern – richtig
lesen – heimlich

10 Wie schaust du denn?

- **Male in jedes Gesicht den passenden Gesichtsausdruck.**
  Nimm eventuell einen Spiegel zur Hand und probiere es vorher aus.

traurig

glücklich

ängstlich

wütend

erstaunt

überrascht

entsetzt

gelangweilt

verliebt

angewidert

nachdenklich

müde

Kann ich super!

Kann ich gut!

Kann ich ein wenig.

Muss ich noch üben.

Klebe den Sticker an die passende Stelle.

- Löse das Kreuzworträtsel, indem du passende Adjektive findest.
- Notiere das Lösungswort.

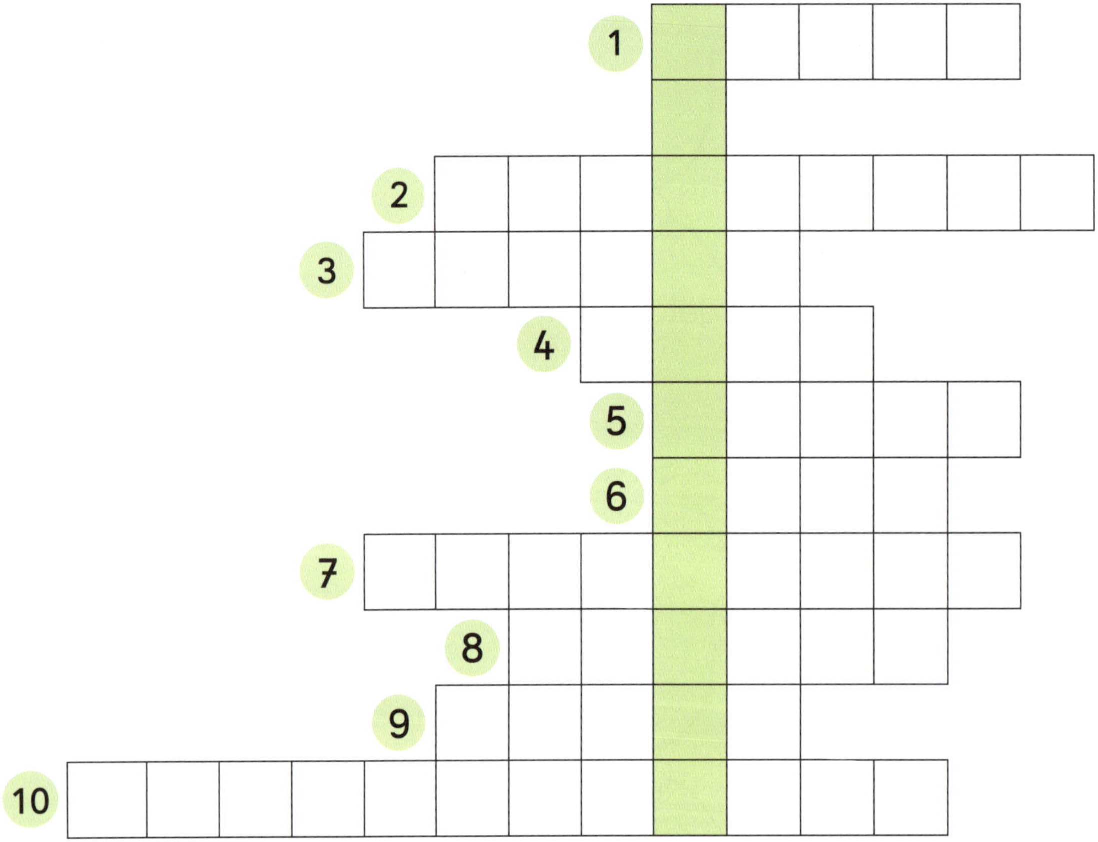

Lösungswort

1 sauer, 2 schmutzig, 3 stumpf, 4 nass, 5 teuer, 6 hart, 7 neugierig, 8 lustig, 9 weich, 10 durchsichtig
Lösungswort: sympathisch

1 So ist Essig.

2 Kleider, die man waschen muss, sind ...

3 Ein Messer, das nicht schneidet, ist ...

4 So ist Wasser.

5 Etwas, das viel kostet, ist ...

6 Kocht man ein Ei lange, dann ist es ...

7 So ist jemand, der immer alles wissen will.

8 So sind Witze.

9 So fühlt sich Watte an.

10 Eine Fensterscheibe ist ...

Regel 3

Kann ich super!

Kann ich gut!

Kann ich ein wenig.

Muss ich noch üben.

Male die Eigenschaften!

• **Lies die Adjektive. Male das Bild weiter.**

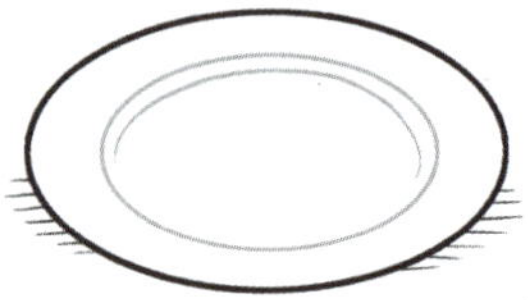

schmutzig

halbvoll

gepunktet

grau

blumig

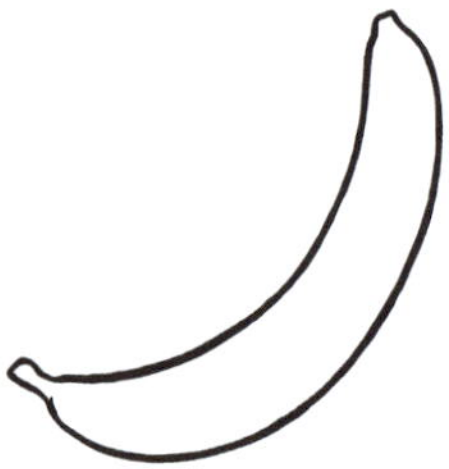

alt

gestreift

weihnachtlich

Welches Haustier ist klein, alt, gepanzert und lebt vegetarisch? Male es!

• **Lies die Wörter. Male selbst etwas mit dieser Eigenschaft ins Feld.**

1	2	3	4
5	6	7	8

1. golden
2. flüssig
3. spitz
4. gesund
5. bunt
6. salzig
7. kurz
8. lahm

Kann ich super!	*Kann ich gut!*	*Kann ich ein wenig.*	*Muss ich noch üben.*

Welches Adjektiv passt?

- Ordne jedem Bild ein passendes Adjektiv zu.
- Schreibe es auf.

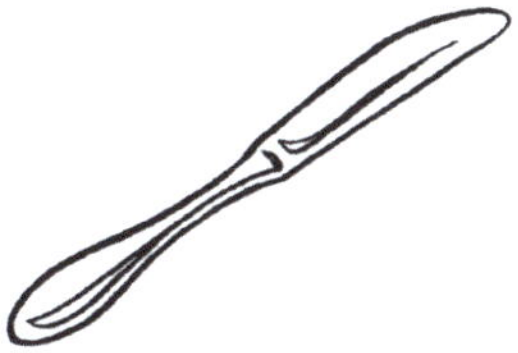

Male selbst Bilder.
Überlege dir zu jedem
Bild ein Adjektiv.

Lösungsbeispiel:
Kohle – schwarz
Stein – hart
Honig – klebrig
Auto – schnell
Ball – rund
Schnee – kalt
Hochhaus – hoch
Fliegenpilz – giftig
Zitrone – sauer
Schloss – riesig
Messer – scharf
Feder – leicht

Kann ich super!

Kann ich gut!

Kann ich ein wenig.

Muss ich noch üben.

Welche Form hat es?

- **Finde zu jedem Gegenstand das richtige Adjektiv.**
- **Schreibe einen kurzen Satz.**

Beispiel: Der Diamant ist vieleckig.

Das Ei ist ______________________________ .

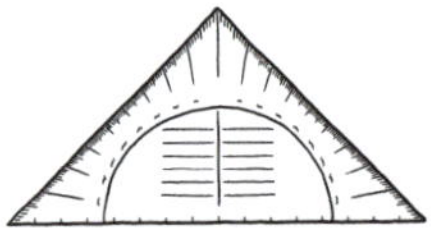

______________________________ .

______________________________ .

______________________________ .

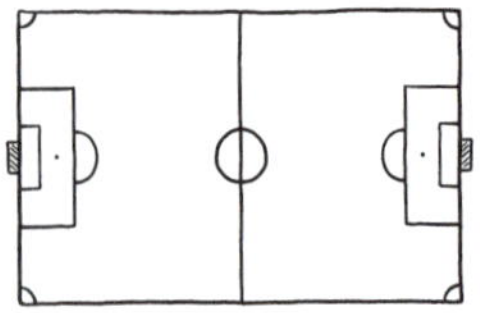

______________________________ .

Ei – oval.
Geodreieck – dreieckig.
Bilderrahmen – quadratisch.
Reifen – rund.
Spielfeld – rechteckig.

Regel 4

- Finde Adjektive mit der Endung *-förmig.*
- Schreibe sie auf.

Das Zelt ist pyramidenförmig ______________________________ .

______________________________ .

______________________________ .

______________________________ .

______________________________ .

Zelt: pyramidenförmig
Würfel: würfelförmig
Geschenk: quaderförmig
Globus: kugelförmig
Zylinder: zylinderförmig

Kann ich super!	Kann ich gut!	Kann ich ein wenig.	Muss ich noch üben.

- **Kreuze die Adjektive an.**
- **Setze die Anfangsbuchstaben richtig ein.**

K | k | k rumm ⊗	P | p | ___apier ○	Sp | sp | ___annend ○
Ei | ei | ___genartig ○	N | n | ___uss ○	E | e | ___hrgeizig ○
D | d | ___ruck ○	Z | z | ___ornig ○	B | b | ___reit ○
Sch | sch | ___üchtern ○	F | f | ___eige ○	G | g | ___efährlich ○
F | f | ___reiheit ○	L | l | ___eer ○	St | st | ___ur ○
K | k | ___nusprig ○	J | j | ___ung ○	D | d | ___reieck ○
St | st | ___rand ○	F | f | ___reizeitpark ○	Ei | ei | ___nsam ○

Die Adjektive sind:
krumm, spannend,
eigenartig, ehrgeizig,
zornig, breit,
schüchtern, feige, gefährlich,
leer, stur,
knusprig, jung,
einsam

Regel 5

1. Bald gehen wir in die (B/b) ___erge.

2. Ich mag die (K/k) ___ühle und (G/g) ___esunde Luft dort oben.

3. Am (M/m) ____eer ist es mir zu (W/w) ___arm und zu (S/s) ____ andig.

4. Und den ganzen (T/t) ____ag nur lesen ist auch (L/l) ____angweilig.

5. Wir machen (L/l) ___ange Wanderungen und (G/g) ___emütliche Spaziergänge.

6. Die (B/b) ___erge sind so (Sch/sch) ___ön!

7. Auch die (A/a) ____ ussicht von oben ist immer (H/h) ___errlich!

Berge, kühle, gesunde, Meer, warm, sandig, Tag, langweilig, lange, gemütliche, Berge, schön, Aussicht, herrlich.

Kann ich super!	Kann ich gut!	Kann ich ein wenig.	Muss ich noch üben.

Wie bin ich?

• **Beschreibe dich selbst. Setze treffende Adjektive ein. Schreibe sie richtig!**

1. Ich bin 1, ______ m ______________ .

2. Ich bin ____ Jahre __________ .

3. Meine Haare sind ____________________ (Länge)

   und _________________ (Farbe).

4. Meine Augen sind _________________ .

5. Meine Nase ist ___________________ .

6. Meine Ohren beschreibe ich

   als __________________________ .

7. Ich bin sehr ___________________

8. Meine Lieblingskleidung ist _________________ .

9. Meine Lehrperson findet mich _______________ .

Spiele „Ich sehe was, was du nicht siehst" mit einem anderen Kind.

Lösungsbeispiel:
1. Ich bin 1,50 m GROSS.
2. Ich bin 10 Jahre alt.
3. Meine Haare sind schulterlang und braun.
4. Meine Augen sind grün.
5. Meine Nase ist breit.
6. Meine Ohren beschreibe ich als empfindlich.
7. Ich bin sehr schlau.
8. Meine Lieblingskleidung ist bunt.
9. Meine Lehrperson findet mich intelligent.

- **Beschreibe ein Kind aus deiner Klasse.**
  Benutze die Sätze der Vorderseite als Vorlage.
- **Beachte, dass du auch den Satzanfang anpassen musst, z. B.: *Sie/Er ist…***
  Du kannst deine Klasse raten lassen, wen du beschrieben hast!

Ich beschreibe: ______________________

____

____

____

____

____

____

____

____

____

Kann ich super!	Kann ich gut!	Kann ich ein wenig.	Muss ich noch üben.

Male das Kind, das du beschrieben hast, in den Bilderrahmen.

Wie wird das Adjektiv gebeugt? (1)

- **Setze das vorgegebene Adjektiv richtig ein.**
  Beachte, dass du manchmal die Adjektive beugen musst.

hoch	Der Berg ist ______________ . Ich mag sehr gerne ______________ Berge.
langweilig	Mir ist es heute ______________ . Hoffentlich habe ich mir kein ______________ Buch ausgesucht!
schnell	Ein ______________ Auto fährt an mir vorbei. Es ist nicht nur ______________ , sondern auch teuer.
neu	Die Schuhe, die ich heute trage, sind ganz ______________ . Ich trage auch schöne ______________ Socken.

hoch, hohe
langweilig, langweiliges
schnelles, schnell
neu, neue

Regel 6

kalt	Der Wind ist heute _____________. Den ______________ Luftzug habe ich besonders bei Hitze gern.
gruselig	Bei __________________ Szenen schaue ich immer weg. Ich liebe Comics, denn die sind nie ___________________ .
laut	Meinen Ohren schadet ______________ Musik. Meine Mutter stellt sie aber trotzdem immer _____________ .
schön	Ich wünsche mir ganz _________________ Ferien. Ob es wohl wieder so _________________ wird wie letztes Jahr?
weich	Kater Emil hat ganz _______________ Fell. Besonders mag er sein _______________ Schlafkissen.

kalt, kalten,
gruseligen, gruselig
laute, laut
schöne, schön
weiches, weiches

Kann ich super! | *Kann ich gut!* | *Kann ich ein wenig.* | *Muss ich noch üben.*

Wie wird das Adjektiv gebeugt? (2)

- **Setze das vorgegebene Adjektiv richtig ein. Achte auf die richtige Endung.**

alt	Die graue Katze ist ______________ . Meine _____________ Katze schläft viel.
gemein	Die Kinder waren heute ____________________ zu mir. Sie haben sich einen ____________________ Scherz ausgedacht.
begabt	Im Turnen bin ich nicht ____________________. Andere ____________________ Kinder sind besser im Turnen.
treu	Unser Hund ist eine _____________ Seele. ____________ bewacht er unser Haus.
geduldig	Mein Papa ist ein _____________________ Mensch. _________________ erklärt er mir die Matheaufgaben.

alt, alte — begabt, begabte — geduldiger, Geduldig
gemein, gemeinen — treue, Treu

verliebt	Das ________________ Pärchen geht Hand in Hand. Ich war noch nie ________________.
hungrig	________________ kann ich nicht schlafen. Die ________________ Kinder essen vor dem Zubettgehen.
müde	Ich fühle mich ____________ . ____________ Menschen sind oft schlecht gelaunt.
traurig	Ungerechtigkeit macht mich sehr ______________ . Mein ______________ Gesicht bemerkt man sofort.
grün	Ihre Lieblingshose ist ____________ . Heidi mag auch das ___________ Kleid.

verliebte, verliebt
Hungrig, hungrigen
müde, Müde
traurig, trauriges
grün, grüne

Kann ich super! | *Kann ich gut!* | *Kann ich ein wenig.* | *Muss ich noch üben.*

Gegensätze ziehen sich an!

- **Finde die Gegenteil-Paare.**
  Verbinde die Adjektive mit gegensätzlicher Bedeutung.

gesund

arm

leicht

riesig

dumm

lustig

hungrig

reich

leer

hoch

winzig

schwach

stark

harmlos

ängstlich

schwer

krank

tief

satt

voll

mutig

dick

wunderschön

hässlich

dünn

schlau

grimmig

gefährlich

• **Schreibe die Gegenteil-Paare auf.**

_____ – _____   _____ – _____

_____ – _____   _____ – _____

_____ – _____   _____ – _____

_____ – _____   _____ – _____

_____ – _____   _____ – _____

_____ – _____

_____ – _____

_____ – _____

_____ – _____

gesund – krank, arm – reich, winzig – riesig, dumm – schlau, schwach – stark, mutig – ängstlich, voll – leer, hungrig – satt, tief – hoch, leicht – schwer, grimmig – lustig, hässlich – wunderschön, dünn – dick, harmlos – gefährlich

Kann ich super! | Kann ich gut! | Kann ich ein wenig. | Muss ich noch üben.

Regel 7

Was ist das Gegenteil?

- **Denke dir zu jedem genannten Adjektiv ein Gegenteil-Adjektiv aus. Schreibe es auf.**

alt	________	krank	________
kalt	________	leise	________
nass	________	falsch	________
tief	________	kurz	________
langsam	________	langweilig	________
hell	________	weich	________
rund	________	eng	________
schmutzig	________	böse	________

alt – jung/neu, kalt – warm,
nass – trocken, tief – hoch,
langsam – schnell, hell – dunkel,
rund – eckig, schmutzig – sauber

krank – gesund, leise – laut,
falsch – richtig, kurz – lang,
langweilig – spannend, weich – hart,
eng – breit/weit, böse – lieb,
spitz – stumpf, billig – teuer

- **Wähle 6 Adjektiv-Paare aus. Schreibe zu jedem Paar einen Satz.**
  Beispiel: ***Der Schnee ist kalt, das Feuer warm.***

Kann ich super!

Kann ich gut!

Kann ich ein wenig.

Muss ich noch üben.

Wie verändert die Vorsilbe un- das Adjektiv?

- **Es sind 10 Adjektive im Wortgitter versteckt.**
  Male die Felder aus und schreibe die Adjektive auf.

1	Y	I	N	T	E	R	E	S	S	A	N	T	S	S
2	S	C	F	G	G	L	Ü	C	K	L	I	C	H	X
3	S	Z	U	F	R	I	E	D	E	N	D	F	G	H
4	X	S	E	R	T	Z	U	E	H	R	L	I	C	H
5	Y	R	Z	U	C	F	R	E	I	F	X	V	G	S
6	S	I	C	H	T	B	A	R	X	D	C	V	G	D
7	A	A	Z	U	V	E	R	L	Ä	S	S	I	G	O
8	Y	X	F	D	C	W	I	C	H	T	I	G	K	L
9	V	V	O	R	T	E	I	L	H	A	F	T	E	P
10	Y	D	E	R	T	F	A	I	R	H	S	O	R	Z

1: interessant 4: ehrlich 7: zuverlässig 10: fair
2: glücklich 5: reif 8: wichtig
3: zufrieden 6: sichtbar 9: vorteilhaft

• **Notiere zu jedem Adjektiv das Gegenteil. Nutze dazu die Vorsilbe *un-*.**

1: uninteressant	4: unehrlich	7: unzuverlässig
2: unglücklich	5: unreif	8: unwichtig
3: unzufrieden	6: unsichtbar	9: unvorteilhaft
		10: unfair

Regel 8

Kann ich super!

Kann ich gut!

Kann ich ein wenig.

Muss ich noch üben.

Welche Gegenteile können mit un- gebildet werden?

- **Schreibe neben jedes Adjektiv das Gegenteil.**
- **Kreuze alle Gegenteile mit *un*- an.**

vernünftig		◯
beweglich		◯
offen		◯
bekannt		◯
selten		◯
nötig		◯
kurz		◯
bedeckt		◯
sicher		◯
absichtlich		◯
gemütlich		◯
geduldig		◯

Sammle weitere Adjektive, die du mit der Vorsilbe un- verändern kannst.

unvernünftig (X), unbeweglich (X), geschlossen/verschlossen, unbekannt (X), häufig/oft, unnötig (X), lang, unbedeckt (X), unsicher (X), unabsichtlich (X), ungemütlich (X), ungeduldig (X)

Was machst du ungern?
Warst du schon einmal ungeschickt?
Male oder erzähle!

gern	◯
bekannt	◯
genügend	◯
auffällig	◯
dankbar	◯
appetitlich	◯
schwer	◯
höflich	◯
geschickt	◯
berechenbar	◯
behaglich	◯
nachgiebig	◯

Kann ich super! | Kann ich gut! | Kann ich ein wenig. | Muss ich noch üben.

Nicht mit der Vorsilbe un-:
schwer – leicht

Was hat die gleiche oder ähnliche Bedeutung?

- **Verbinde die beiden Adjektive mit gleicher oder ähnlicher Bedeutung.**

müde

lustig

rar

schlau

genau

schmackhaft

kalt

rasch

zornig

witzig

lecker

exakt

klug

ungeschickt

schläfrig

merkwürdig

wütend

frostig

still

schnell

seltsam

tollpatschig

leise

selten

Regel 9

• **Schreibe die Adjektivpaare auf.**

________________ – ________________

________________ – ________________

________________ – ________________

________________ – ________________

________________ – ________________

________________ – ________________

________________ – ________________

________________ – ________________

________________ – ________________

________________ – ________________

________________ – ________________

________________ – ________________

Finde andere Adjektive für:
athletisch, gruselig und wohlhabend.

kalt – frostig
leise – still
rasch – schnell
lecker – schmackhaft
ungeschickt – tollpatschig
lustig – witzig
genau – exakt
klug – schlau
selten – rar
merkwürdig – seltsam
müde – schläfrig
zornig – wütend

Kann ich super!	Kann ich gut!	Kann ich ein wenig.	Muss ich noch üben.

Erklimme die Stufen!

- **Steigere die Adjektive richtig.**
- **Schreibe die Steigerungsstufen auf.**

Grundstufe
(Positiv)

dick

Steigerungsstufe 1
(Komparativ)

Steigerungsstufe 2
(Superlativ)

Regel 10

Formuliere eine Regel, nach der du Steigerungen bildest.

dick, dicker, am dicksten

• **Schreibe die Steigerungsformen richtig auf.**

Grundstufe (Positiv)	**Steigerungsstufe 1** (Komparativ)	**Steigerungsstufe 2** (Superlativ)
schnell		
deutlich		
reich		
verrückt		
scheu		
alt		
schlau		

schnell, schneller, am schnellsten
deutlich, deutlicher, am deutlichsten
reich, reicher, am reichsten
verrückt, verrückter, am verrücktesten
scheu, scheuer, am scheusten
alt, älter, am ältesten
schlau, schlauer, am schlausten

Kann ich super! | *Kann ich gut!* | *Kann ich ein wenig.* | *Muss ich noch üben.*

Wie steigert man Adjektive?

• **Ergänze die fehlenden Steigerungsformen.**

Grundstufe (Positiv)	**Steigerungsstufe 1** (Komparativ)	**Steigerungsstufe 2** (Superlativ)
jung		
		am höchsten
		am lautesten
dumm		
hell		
	schöner	
freundlich		

Manche Adjektive kann man nicht steigern, z. B. ***schwanger.*** *Begründe. Ergänze weitere Adjektive, die nicht gesteigert werden können.*

jung, jünger, am jüngsten
hoch, höher, am höchsten
laut, lauter, am lautesten
dumm, dümmer, am dümmsten
hell, heller, am hellsten
schön, schöner, am schönsten
freundlich, freundlicher, am freundlichsten

Grundstufe (Positiv)	**Steigerungsstufe 1** (Komparativ)	**Steigerungsstufe 2** (Superlativ)
erfolgreich		
	berühmter	
	sicherer	
gut		
viel		
gern		
leer		

erfolgreich, erfolgreicher, am erfolgreichsten
berühmt, berühmter, am berühmtesten
sicher, sicherer, am sichersten
gut, besser, am besten
viel, mehr, am meisten
gern, lieber, am liebsten
leer → nicht steigerbar

Kann ich super!	Kann ich gut!	Kann ich ein wenig.	Muss ich noch üben.

Alle Formen richtig eingesetzt?

Vergleich mal!

- **Lies jeweils das Adjektiv.**
  Vergleiche damit die beiden angegebenen Dinge oder Tiere.
- **Schreibe die Sätze auf.**

sauer ______________________________

Beispiel: Essig ist saurer als Honig.

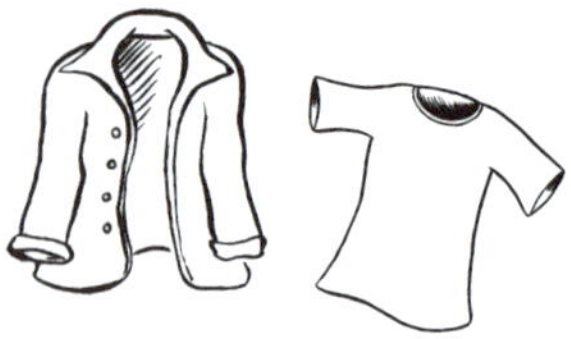

warm ______________________________

teuer ______________________________

dunkel ______________________________

Essig ist saurer als Honig.
Eine Jacke ist wärmer als ein T-Shirt.
Ein Schloss ist teurer als ein Haus.
Die Nacht ist dunkler als der Tag.

Regel 11

 lang ______________________________

 flauschig ______________________________

 hoch ______________________________

 hart ______________________________

 kräftig ______________________________

Eine Schlange ist länger als eine Eidechse.
Eine Katze ist flauschiger als eine Schildkröte.
Ein Berg ist höher als eine Sandburg.
Ein Stein ist härter als eine Nuss.
Ein Elefant ist kräftiger als eine Maus.

Kann ich super!	Kann ich gut!	Kann ich ein wenig.	Muss ich noch üben.

Klebe den Sticker an die passende Stelle.

Beschreiben und vergleichen!

- **Schau dir die beiden Personen genau an. Achte auf alle Details.**
- **Überlege dir treffende Adjektive.**

Dagobert Dalla

Detektiv Dick

alt klein dick kurz vornehm
dunkel lockig lang modern
dicht schlau bequem knollig
breit teuer freundlich gemustert
sportlich altmodisch

- **Lies die Sätze.**
- **Ergänze die Lücken mit treffenden Adjektiven in der richtigen Form.**

1 Detektiv Dicks Körper ist ____________________ als der von Dagobert.

2 Seine Schuhe sehen ____________________ aus als die von Dagobert.

3 Die Haare von Dagobert Dalla sind ________________ als die von Dick.

4 Dicks Nase ist ____________________ als die von Dagobert Dalla.

5 Die Mütze von Dagobert ist _______________ als die von Detektiv Dick.

6 Dicks Mantel ist ____________________ als der von Dalla.

7 Dicks Ohren sind _______________________ als Dagoberts.

8 Detektiv Dick sieht ________________________ aus als Dagobert.

Kann ich super!	*Kann ich gut!*	*Kann ich ein wenig.*	*Muss ich noch üben.*

Du kannst auch die Adjektive im Kasten auf der linken Seite nutzen!

Welche Wörter sind in den Adjektiven versteckt?

- **Notiere das Nomen und Adjektiv, aus denen das Wort zusammengesetzt ist.**
- **Erkläre das zusammengesetzte Adjektiv mit deinen eigenen Worten.**

1 spiegelglatt ______ + ______
Erklärung ______

2 kerzengerade ______ + ______
Erklärung ______

3 strohdumm ______ + ______
Erklärung ______

4 tonnenschwer ______ + ______
Erklärung ______

5 blutarm ______ + ______
Erklärung ______

1. Spiegel + glatt
2. Kerze(n) + gerade
3. Stroh + dumm
4. Tonne(n) + schwer
5. Blut + arm

Regel 12

6 spindeldürr ____________________ + ____________________

Erklärung ____

7 todmüde ____________________ + ____________________

Erklärung ____

8 hauchdünn ____________________ + ____________________

Erklärung ____

9 fingerbreit ____________________ + ____________________

Erklärung ____

10 staubtrocken ____________________ + ____________________

Erklärung ____

6. Spindel + dürr
7. Tod + müde
8. Hauch + dünn
9. Finger + breit
10. Staub + trocken

Kann ich super!	Kann ich gut!	Kann ich ein wenig.	Muss ich noch üben.

Finde zusammengesetzte Adjektive!

- **Schreibe zu jedem Bild ein zusammengesetztes Adjektiv auf.**

1

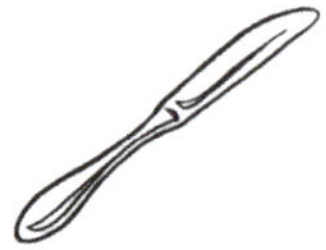
4

7

10

2

5

8

11

3

6

9

12

1. pudelwohl
2.
3.
4.
5.
6.
7.
8.
9.
10.
11.
12.

1. pudelwohl, 2. blitzschnell, 3. rabenschwarz, 4. messerscharf, 5. federleicht, 6. steinhart/steinalt, 7. wasserdicht/wasserscheu, 8. bärenstark, 9. kugelrund, 10. eiskalt, 11. bildschön, 12. sonnengelb

- **Wähle 5 Adjektive aus. Schreibe zu diesen je einen Satz. Es können auch Unsinn-Sätze entstehen.**
- **Tausche mit einem Partnerkind das Heft und überprüft die Sätze. Berichtigt, wenn es nötig ist.**

Kann ich super!

Kann ich gut!

Kann ich ein wenig.

Muss ich noch üben.

- **Unterstreiche das zweite Nomen im Satz. Finde dazu das passende Adjektiv. Vervollständige den Satz.**

1. Ein Auto, das Rost ansetzt → Das Auto ist ______________________.
2. Ein Igel, der viele Stacheln hat → Der Igel ist ______________________.
3. Ein Mensch, der Wut fühlt → Der Mensch ist ______________________.
4. Ein Kind voller Neugierde → Das Kind ist ______________________.
5. Ein Opa, der viel Sport macht → Der Opa ist ______________________.
6. Ein Weg mit vielen Steinen → Der Weg ist ______________________.
7. Ein Tier, das Schleim absondert → Das Tier ist ______________________.
8. Ein Raum mit vielen Ecken → Der Raum ist ______________________.
9. Ein Tag voller Abwechslung → Der Tag ist ______________________.

1. rostig/verrostet, 2. stachelig, 3. wütend, 4. neugierig, 5. sportlich, 6. steinig/steinern, 7. schleimig, 8. eckig, 9. abwechslungsreich

Regel 13

10 Ein Tier, von dem Gefahr ausgeht → Das Tier ist ______.

11 Ein Geist, der einem Schrecken einjagt → Der Geist ist ______.

12 Ein Mensch mit viel Kreativität → Der Mensch ist ______.

13 Ein Schultag mit viel Langeweile → Der Schultag ist ______.

14 Ein Baum in voller Blüte → Der Baum ist ______.

15 Ein Mann mit riesigem Reichtum → Der Mann ist ______.

16 Eine Lehrerin, die viel Geduld hat → Die Lehrerin ist ______.

17 Ein Hund, der anderen Bisse verpasst → Der Hund ist ______.

18 Ein Herrscher der keine Macht hat → Der Herrscher ist ______.

19 Ein Kind, das gut Musik macht → Das Kind ist ______.

10. gefährlich, 11. schrecklich, 12. kreativ, 13. langweilig, 14. blühend/blütenreich, 15. reich, 16. geduldig, 17. bissig, 18. machtlos, 19. musikalisch

Kann ich super! | *Kann ich gut!* | *Kann ich ein wenig.* | *Muss ich noch üben.*

52 Welches Nomen ist verwandt?

• **Schreibe mindestens ein passendes Nomen zum Adjektiv auf.**

1	kalt	______
2	feucht	______
3	dumm	______
4	frisch	______
5	erkältet	______
6	gefährlich	______
7	mutig	______
8	geschwind	______
9	würzig	______
10	glücklich	______

1. Kälte
2. Feuchtigkeit
3. Dummheit
4. Frische/Frischhaltefolie
5. Erkältung/Erkältungsbad
6. Gefahr/Gefahrenzone
7. Mut/Mutprobe
8. Geschwindigkeit
9. Würze/Gewürz
10. Glück/Glücksgefühl

11	rätselhaft	______________________
12	lang	______________________
13	ängstlich	______________________
14	einsam	______________________
15	fürchterlich	______________________
16	hungrig	______________________
17	wunderbar	______________________
18	nass	______________________

11. Rätsel
12. Länge
13. Angst
14. Einsamkeit
15. Furcht
16. Hunger/Hungersnot
17. Wunder
18. Nässe

Kann ich super! | Kann ich gut! | Kann ich ein wenig. | Muss ich noch üben.

Welches Verb ist verwandt?

• **Schreibe ein passendes Verb zum Adjektiv auf.**

1 regnerisch ______

2 wohnlich ______

3 schriftlich ______

4 traurig ______

5 hungrig ______

6 verärgert ______

7 schreckhaft ______

8 ehrbar ______

9 teilbar ______

10 essbar ______

1. regnen
2. wohnen
3. schreiben
4. trauern
5. hungern
6. verärgern/ärgern
7. erschrecken
8. ehren
9. teilen
10. essen

Adjektive können auch mit Verben verwandt sein. Sie haben den gleichen Wortstamm. Unterstreiche jeweils die Wortstämme.

11	furchtbar	
12	frisch	
13	salzig	
14	krank	
15	pflanzlich	
16	zerbrechlich	
17	schädlich	
18	schlaflos	

11. fürchten
12. erfrischen
13. salzen
14. kränkeln
15. pflanzen
16. zerbrechen
17. schaden
18. schlafen

Kann ich super!	Kann ich gut!	Kann ich ein wenig.	Muss ich noch üben.

Suche dir einen Partner oder eine Partnerin. Findet selbst neue Wortpaare.

Findest du alle Adjektive?

- **Unterstreiche in allen Sätzen die Adjektive.**

1. Max spielt gerne mit Holzbausteinen.
2. Damit baut er hohe Türme und gefährliche Brücken.
3. Der kluge Junge kennt nämlich gute Tricks fürs Bauen.
4. Er ist sich sicher, dass er später Architekt werden möchte.
5. Die kleine Schwester von Max hat auch Freude an den Türmen.
6. Wenn sie unbeaufsichtigt ist, wirft sie die Türme um.
7. Wenn der Turm krachend umfällt, hat sie riesige Freude.
8. Max ist dann jedes Mal sehr sauer und beschimpft Tina.
9. Aber Mama sagt: „Tina ist ja noch klein und unerfahren."
10. Der ältere Bruder Max soll doch etwas Verständnis haben.
11. Max schaut etwas verständnislos und betrübt.
12. Nach kurzer Zeit ist er aber wieder fröhlich und versöhnlich.

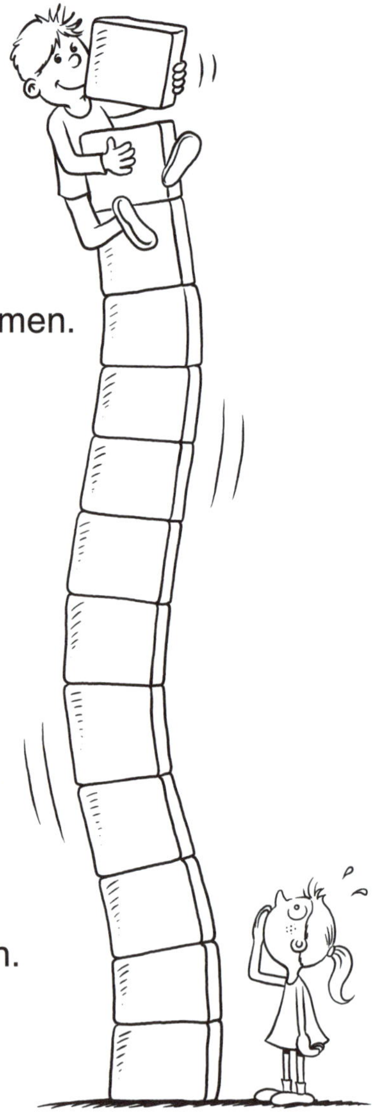

• **Schreibe die Adjektive auf.**

1. gerne
2. hohe, gefährliche
3. kluge, gute
4. sicher
5. kleine
6. unbeaufsichtigt
7. krachend, riesige
8. sauer
9. klein, unerfahren
10. ältere
11. verständnislos, betrübt
12. kurzer, fröhlich, versöhnlich

Kann ich super!

Kann ich gut!

Kann ich ein wenig.

Muss ich noch üben.

- Betrachte das Auto genau. Umkreise dazu passende Adjektive.
- Schreibe die Adjektive auf.

GÜNSTIG VERROSTET
GEFÄHRLICH ZWEITÜRIG
BLITZSCHNELL UNAUFFÄLLIG
AUFFÄLLIG LANGSAM
GELÄNDEGÄNGIG URALT
SCHROTTREIF TEUER
UNSICHER KLIMATISIERT
NAGELNEU ZERBROCHEN
BESCHEIDEN BESCHÄDIGT
ÜBERTEUERT TRAUMHAFT
FAMILIENFREUNDLICH

Treffende Adjektive sind:
gefährlich, zweitürig, blitzschnell, auffällig, geländegängig, klimatisiert, teuer, nagelneu, überteuert, traumhaft

• **Male ein Bild von einem Auto, auf das die folgenden Adjektive zutreffen:**

verrostet *viertürig* *beschädigt* *rot*

Kann ich super!

Kann ich gut!

Kann ich ein wenig.

Muss ich noch üben.

Unpassendes Adjektiv gesucht!

- **Finde in jeder Zeile das Adjektiv, das nicht zu den anderen passt. Kreuze es an und schreibe es auf.**

1.	◯ hell	◯ traurig	◯ niedergeschlagen	◯ unglücklich
2.	◯ kalt	◯ windig	◯ zuverlässig	◯ sonnig
3.	◯ salzig	◯ interessant	◯ bitter	◯ sauer
4.	◯ kantig	◯ rund	◯ müde	◯ eckig
5.	◯ schnell	◯ langsam	◯ oberflächlich	◯ schleichend
6.	◯ günstig	◯ billig	◯ feurig	◯ teuer
7.	◯ hellgelb	◯ dunkel	◯ dunkelblau	◯ feuerrot
8.	◯ liebenswert	◯ höflich	◯ rücksichtsvoll	◯ kaltblütig

(1) ____________________ (5) ____________________

(2) ____________________ (6) ____________________

(3) ____________________ (7) ____________________

(4) ____________________ (8) ____________________

- **Bilde mit den angekreuzten Adjektiven einen Satz. Schreibe ihn auf.**
- **Kontrolliere die Sätze mit einem Partner oder einer Partnerin.**

1. ______________________________

2. ______________________________

3. ______________________________

4. ______________________________

5. ______________________________

6. ______________________________

7. ______________________________

8. ______________________________

1. hell
2. zuverlässig
3. interessant
4. müde
5. oberflächlich
6. feurig
7. dunkel
8. kaltblütig

Kann ich super!	*Kann ich gut!*	*Kann ich ein wenig.*	*Muss ich noch üben.*

- **Lies zuerst alle Sätze. Male danach das Monster entsprechend aus.**
- **Kreuze Erledigtes an.**

◯ Das Fell des kleinen Monsters ist schwarz.
◯ Die Schuhe des Monsterchens sind violett.
◯ Seine Ohren sind rot.
◯ Die Nasenhaare des fröhlichen Monsters sind braun.
◯ Die Nase selbst ist pink.
◯ Die Krallen des lieben Monsters sind blau.
◯ Der Schwanz des Monsters ist orange.
◯ Die Hörner des friedlichen Monsters sind gelb.
◯ Die Augen des klugen Monsters sind rot.

Unterstreiche weitere Adjektive im Text, die das Monster beschreiben.

Das solltest du angemalt haben:
Augen rot, Hörner gelb, Schwanz orange, Krallen blau, Nase pink, Nasenhaare braun, Ohren rot, Schuhe violett, Fell schwarz.

Lösung zum „Bonbon“: klein, fröhlich, lieb, friedlich, klug

• **Lies zuerst alle Sätze. Male dann dazu. Kreuze Erledigtes an.**

- ◯ Das harmlose Monster hat einen lachenden Mund.
- ◯ Seine Augen hält es fest geschlossen.
- ◯ Das Monster hat lockige Haare.
- ◯ Mit seinen kleinen Händen winkt dir das Monster zu.
- ◯ Es trägt sehr lange Schuhe.
- ◯ Das Monster hat eine knollenförmige Nase.
- ◯ Die Ohren des Monsters sind abstehend.
- ◯ Das Monster trägt ein gestreiftes T-Shirt.
- ◯ Das Monster ruft dir zu, wie es sich gerade fühlt.

Ich fühle mich

so ______________.

Das solltest du angemalt haben:
Mund lachend, Augen geschlossen, Haare lockig,
Hände klein, Schuhe lang, Nase knollenförmig,
Ohren abstehend, T-Shirt gestreift

Kann ich super!	*Kann ich gut!*	*Kann ich ein wenig.*	*Muss ich noch üben.*

Wie gut kennst du Adjektive?

- **Schätze dich selbst ein. Überlege, wie gut du dich mit Adjektiven auskennst.**

Das kann ich schon gut:

Das möchte oder muss ich noch üben: